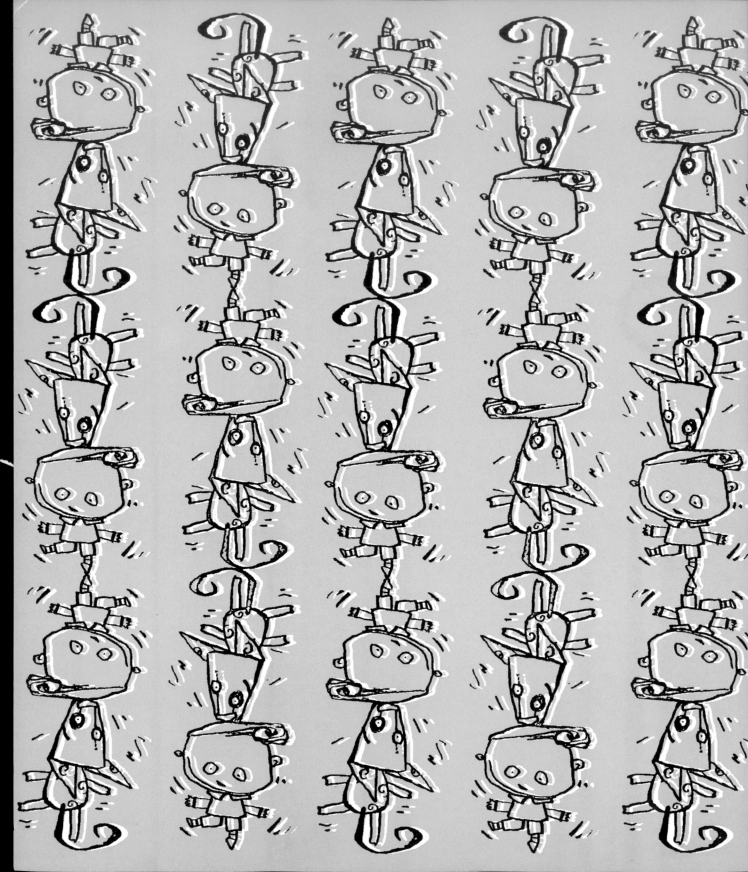

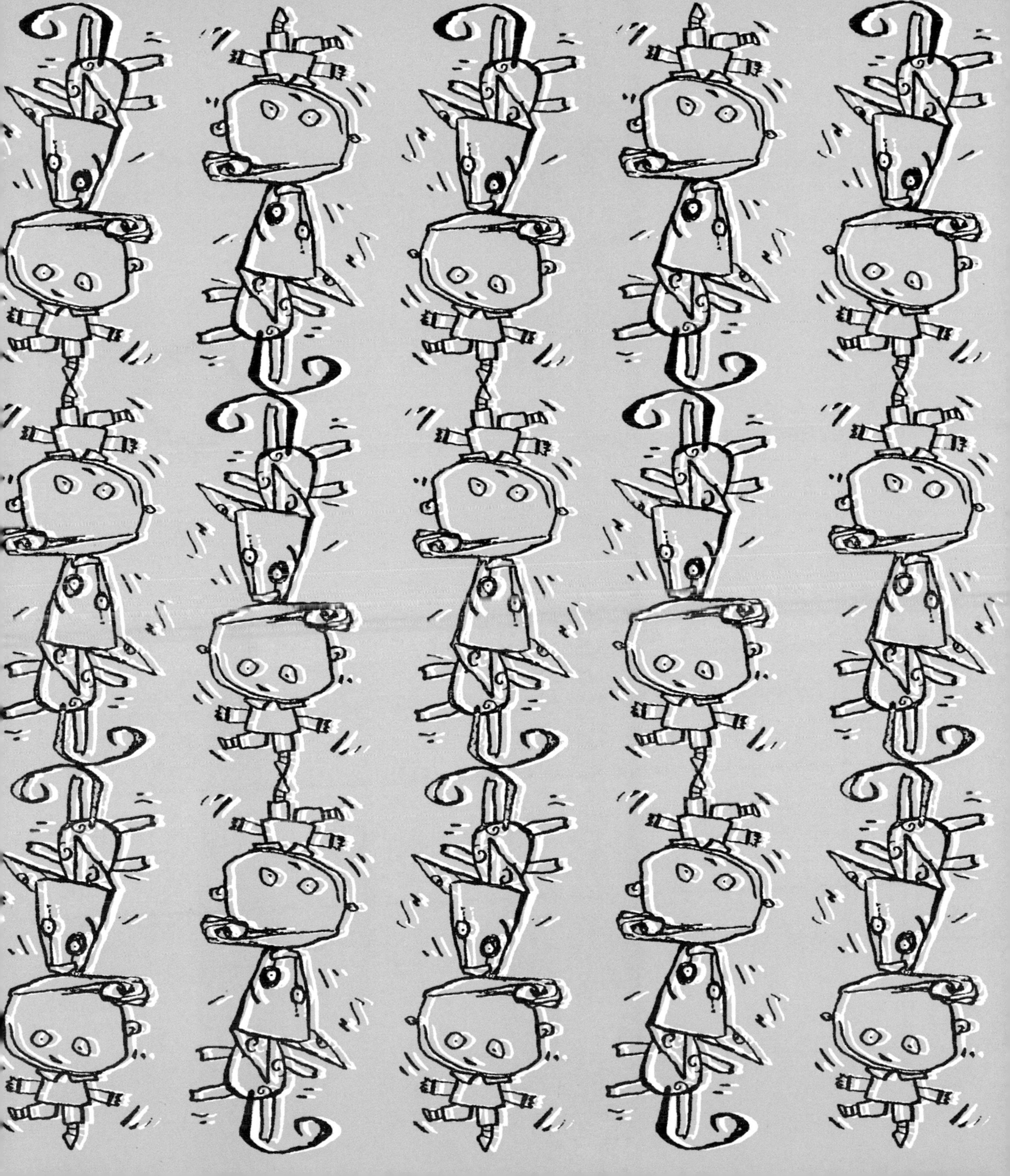

Esta obra recibió mención honorífica en el primer concurso
de álbum ilustrado A la Orilla del Viento 1996

Primera edición, FCE México,   1997
   Primera reimpresión, FCE Colombia,   2016

Isol
   Vida de perros / Isol. — México : FCE, 1997
   [26] p. ; 24 × 21 cm. — (Colec. Los Especiales de A la Orilla del
Viento)
   ISBN 978-968-16-5423-8 (empastado)
   ISBN 978-958-8249-10-0 (rústico)

   1. Literatura infantil I. Ser. II. t.

LC PZ7   Dewey 808.068 I859v

Distribución mundial

D. R. © 2016, Ediciones Fondo de Cultura Económica S. A. S.
Calle 11 No. 5-60, Bogotá, Colombia
www.fce.com.co

Por acuerdo con Fondo de Cultura Económica
Carretera Picacho Ajusco, 227; 14738 Ciudad de México
www.fondodeculturaeconomica.com
Comentarios: librosparaninos@fondodeculturaeconomica.com
Tel.: (55)5449-1871

Editor: Daniel Goldin
Diseño: Joaquín Sierra Escalante
Dirección artística: Mauricio Gómez Morin

ISBN 978-968-16-5423-8 (empastado)
ISBN 978-958-8249-10-0 (rústico)

Impreso en Colombia • *Printed in Colombia*
Impreso por Nomos impresores

VIDA DE PERROS

Isol

LOS ESPECIALES DE

A la orilla del viento

FONDO DE CULTURA ECONÓMICA
MÉXICO

Estos dos somos Clovis y yo.
Él es un perro, pero ante todo
es mi mejor amigo DE VERAS

y no como los otros;
Clovis es ESPECIAL.

De vez en cuando debo preguntarle
a mi mamá:
—Madre, ¿cómo sabes que NO soy
un perro?

Y mami me contesta así:
—Hijo, si fueras un perro
te gustaría embarrarte
en los charcos y correr
ladrando a los autos.

¿Y qué más?

—Si fueras perro harías
pis en los árboles, y
los chicos de la escuela
se subirían a tu lomo.

—¿Y qué más?

—Bueno..., sacarías
tu lengua muy afuera
y sería grande
y húmeda, y también
aullarías por la noche
sin dejarnos dormir.
¿Ves por qué sé
que no eres un perrito?

Con Clovis no entendemos cómo
mamá está tan segura de todo.

¡Ella dice que NO!

Estos momentos
de confusión nos
duran poco rato.

Enseguida salimos,
como todas las tardes,
a practicar nuestros
juegos preferidos.

Jugar a los vaqueros, ...

a la danza de la lluvia, ...

a los cazadores, ...

a enfriarnos la lengua,

a molestar a las hormigas...

Por la tarde llega la hora de volver a casa.

—¡Pero, hijo, estás hecho
una mugre!
¡Mejor te vas al jardín,
y no entres hasta no
sacarte esa ropa roñosa!

—¿Sabes, Clovis?
Algo me dice que el plan
comienza a funcionar...

¿No te parece?

FIN

Vida de perros, de Isol,
se terminó de imprimir y encuadernar en octubre de 2016
en Nomos Impresores, Diagonal 18 Bis No. 41-17, Bogotá.

El tiraje fue de 12000 ejemplares.

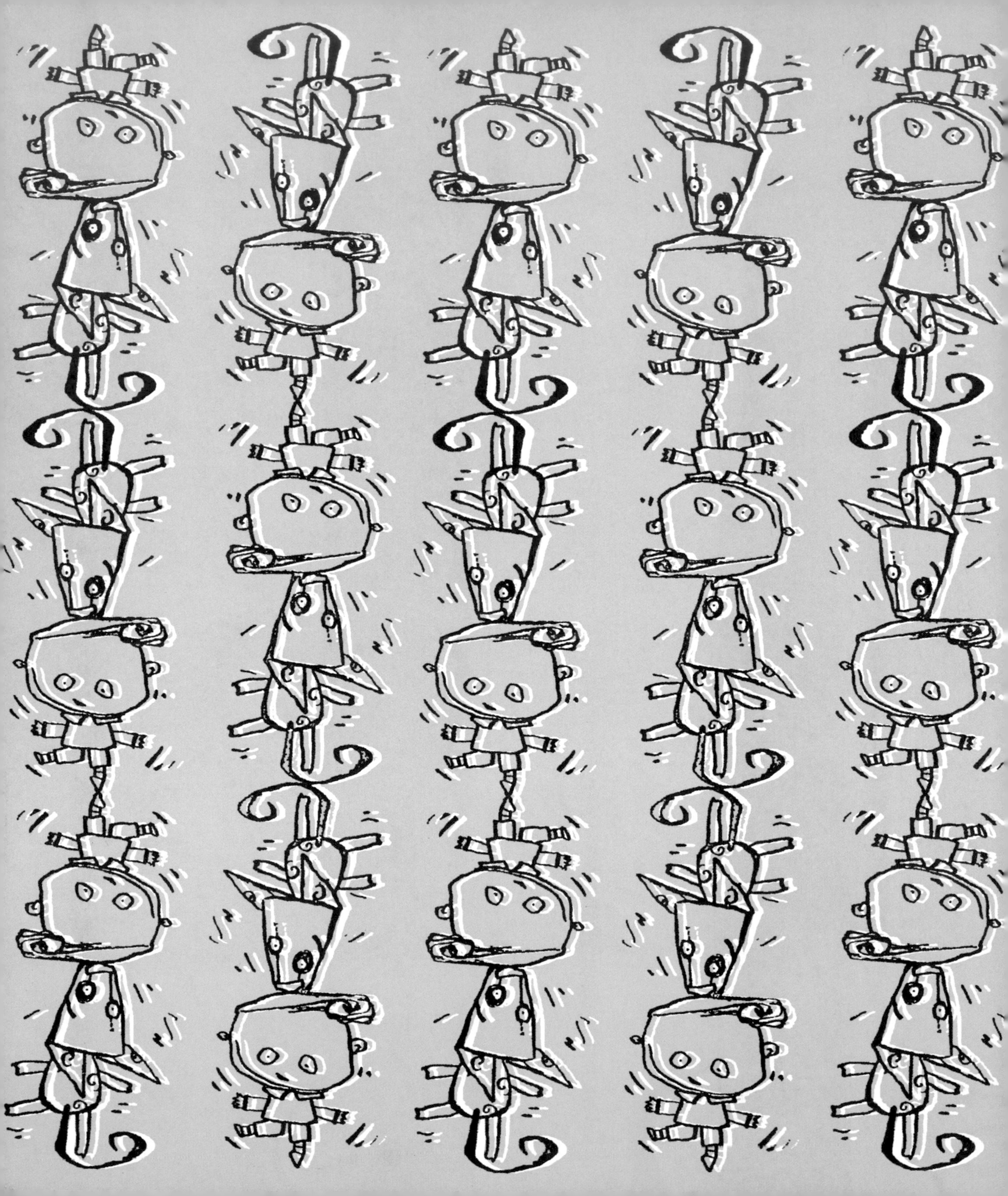

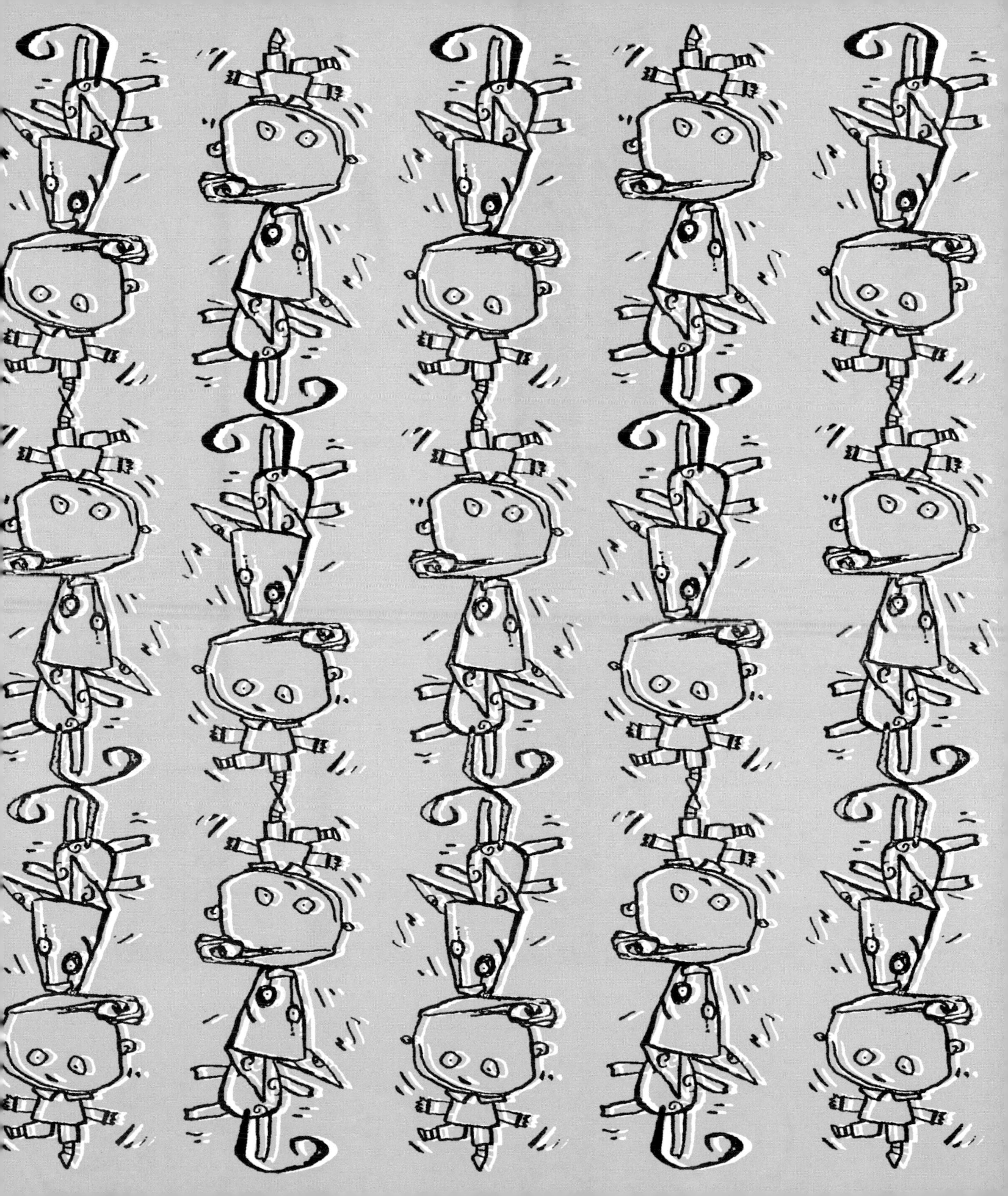